FOLIO CADET

Roald Dahl :
bien plus que de belles histoires !

Saviez-vous que 10 % des droits d'auteur* de ce livre sont versés aux associations caritatives Roald Dahl ?

La *Roald Dahl Foundation* soutient des infirmières spécialisées qui soignent des enfants atteints d'épilepsie, de maladies du sang et de traumatismes crâniens à travers le Royaume-Uni. La Fondation apporte aussi une aide matérielle aux enfants et adolescents souffrant de difficultés de lecture ou de troubles cérébraux ou sanguins (des causes qui furent chères à Roald Dahl tout au long de sa vie) en finançant hôpitaux et associations caritatives et en mettant des bourses à la disposition d'enfants et de familles.

Le *Roald Dahl Museum and Story Centre* est situé aux abords de Londres, dans le village de Great Missenden (Buckinghamshire) où Roald Dahl vivait et écrivait. Au cœur du musée, dont le but est de susciter l'amour de la lecture et de l'écriture, sont archivés les inestimables lettres et manuscrits de l'auteur. Outre deux galeries pleines de surprises et d'humour consacrées à sa vie de façon dynamique, le musée est doté d'un atelier d'écriture interactif (*Story Centre*) où parents, enfants, enseignants et élèves peuvent découvrir l'univers passionnant de la création littéraire.

* Les droits d'auteur versés sont nets de commission.

www.roalddahlfoundation.org
www.roalddahlmuseum.org

La *Roald Dahl Foundation* (RDF)
est une association caritative enregistrée sous le n° 1004230.
Le *Roald Dahl Museum and Story Centre* (RDMSC)
est une association caritative enregistrée sous le n° 1085853.
Le *Roald Dahl Charitable Trust*, une association caritative
récemment créée, soutient l'action de la RDF et du RDMSC.

Traduit de l'anglais
par Marie Saint-Dizier et Raymond Farré

Maquette : Light Motif

Titre original : *Fantastic Mr Fox*
Publié pour la première fois par Penguin Books Ltd.,
© Roald Dahl Nominee, 1970, pour le texte
© Quentin Blake, 2003, pour les illustrations
© Éditions Gallimard Jeunesse, 1980, pour la traduction

Roald Dahl

Fantastique Maître Renard

illustré par Quentin Blake

GALLIMARD JEUNESSE

Les trois fermiers

Dans la vallée, il y avait trois fermes. Les propriétaires de ces fermes avaient bien réussi. Ils étaient riches. Ils étaient aussi méchants. Mais tous trois n'étaient ni plus méchants ni plus mesquins que d'autres. Ils s'appelaient Boggis, Bunce et Bean.

Boggis élevait des poulets. Il avait des milliers de poulets. Il était horriblement gros. Cela, parce qu'il mangeait tous les jours au petit déjeuner, au déjeuner et au

dîner, trois poulets cuits à la cocotte avec des croquettes.

Bunce élevait des oies et des canards. Il avait des milliers d'oies et de canards. C'était une espèce de nabot ventripotent.

Il était si petit que, dans le petit bain d'une piscine, il aurait eu de l'eau jusqu'au menton. Il se nourrissait de beignets et de foies d'oies. Il écrasait les foies et fourrait les beignets de cette bouillie infâme. Ce régime lui donnait mal à l'estomac et un caractère épouvantable.

Bean avait des dindes et des pommes.
Il élevait des milliers de dindes dans un
verger plein de pommiers. Il ne mangeait
jamais. Par contre, il buvait des litres d'un
cidre très fort qu'il tirait des pommes de son

verger. Il était maigre comme un clou et c'était le plus intelligent des trois.

Bunce, Bean, Boggis,
Le gros, le maigre, le petit,
Laids comme des poux
Sont de vilains grigous !

Voilà ce que chantaient les enfants du voisinage en les voyant.

Maître Renard

Au-dessus de la vallée, sur une colline, il y avait un bois.

Dans le bois, il y avait un gros arbre.

Sous l'arbre, il y avait un trou.

Dans le trou vivaient Maître Renard, Dame Renard et leurs quatre renardeaux.

Tous les soirs, dès que la nuit tombait, Maître Renard disait à son épouse :

– Alors, mon amie, que veux-tu pour

dîner ? Un poulet dodu de chez Boggis ? Un canard ou une oie de chez Bunce ? Ou une belle dinde de chez Bean ?

Et lorsque Dame Renard lui avait dit ce qu'elle voulait, Maître Renard se faufilait vers la vallée, dans la nuit noire, et se servait.

Boggis, Bunce et Bean savaient très bien ce qui se passait et cela les rendait fous de rage. Ils n'étaient pas hommes à faire des cadeaux. Ils aimaient encore moins être volés. C'est pourquoi toutes les nuits chacun prenait son fusil de chasse et se cachait dans un recoin sombre de sa ferme avec l'espoir d'attraper le voleur.

Mais Maître Renard était trop malin pour eux. Il s'approchait toujours d'une ferme face au vent. Si quelqu'un était tapi dans l'ombre, il sentait de très loin son odeur, apportée par le vent. Par exemple, si M. Boggis se cachait derrière son poulailler numéro 1, Maître Renard le flairait à une cinquantaine de mètres et, vite, il changeait

de direction, filant droit vers le poulailler numéro 4, à l'autre bout de la ferme.

– La peste soit de cette sale bête ! criait Boggis.

– Comme j'aimerais l'étriper ! disait Bunce.

– Tuons-le ! aboyait Bean.

– Mais comment ? demanda Boggis, comment diable attraper l'animal ?

Bean se gratta légèrement le nez de son long doigt.

– J'ai un plan, dit-il.

– Tes plans n'ont jamais été très bons jusqu'à présent, dit Bunce.

– Tais-toi et écoute, dit Bean. Demain

soir, nous nous cacherons tous devant le trou où vit le renard. Nous attendrons qu'il sorte. Et alors pan ! pan ! pan !

— Très intelligent, dit Bunce, mais d'abord nous devons trouver le trou.

— Mon cher Bunce, je l'ai trouvé, dit ce futé de Bean. Il est dans le bois, sur la colline. Sous un gros arbre…

La fusillade

— Alors, mon amie, demanda Maître Renard, que voudras-tu pour dîner ?

— Eh bien, ce soir, ce sera du canard, répondit Dame Renard. Veux-tu bien nous rapporter deux canards dodus, un pour toi et moi, un pour les enfants ?

— Va pour des canards ! dit Maître Renard. Chez Bunce, c'est le mieux !

— Fais bien attention, dit Dame Renard.

— Mon amie, je peux sentir ces crétins à un kilomètre, dit Maître Renard. J'arrive même à les reconnaître chacun à leur odeur. Boggis dégage une odeur répugnante de poulet avarié. Bunce empeste les foies d'oies. Quant à Bean, des relents de cidre flottent dans son sillage comme des gaz toxiques.

– Oui, mais sois prudent, dit Dame Renard. Tu sais qu'ils t'attendent, tous les trois.

– Ne t'inquiète pas pour moi, dit Maître Renard. A bientôt !

Maître Renard n'aurait pas été si sûr de lui s'il avait su exactement où l'attendaient les trois fermiers, à l'instant même. Ils se trouvaient juste devant l'entrée du terrier, chacun tapi derrière un arbre, le fusil chargé. Et, de plus, ils avaient très soigneu-

sement choisi leur place, après s'être assurés que le vent ne soufflait pas vers le terrier, mais en sens contraire. Ils ne risquaient pas d'être trahis par leur odeur.

Maître Renard grimpa le tunnel obscur jusqu'à l'entrée de son terrier. Son beau museau pointu surgit dans la nuit sombre et il se mit à flairer.

Il avança d'un centimètre ou deux et s'arrêta.

Il flaira une autre fois. Il était toujours particulièrement prudent en sortant de son trou.

Il avança d'un autre centimètre. Il était à moitié sorti, maintenant.

Sa truffe frémissait de tous côtés, humant, flairant le danger.

Sans résultat. Au moment même où il allait filer au trot dans le bois, il entendit ou crut entendre un petit bruit, comme si quelqu'un avait bougé le pied, très, très doucement sur un tapis de feuilles mortes.

Maître Renard s'aplatit par terre et s'immobilisa, oreilles dressées. Il attendit un long moment, mais on n'entendait plus rien.

« Ce devait être un rat des champs, se dit-il, ou une autre petite bête. »

Il se glissa un peu plus hors du trou… puis encore un peu plus. Il était presque tout à fait dehors, maintenant. Il regarda attentivement autour de lui, une dernière fois.

Le bois était sombre et silencieux. Là-haut, dans le ciel, la lune brillait.

Alors, ses yeux perçants, habitués à la nuit, virent luire quelque chose derrière un arbre, non loin de là. C'était un petit rayon de lune argenté qui scintillait sur une surface polie. Maître Renard l'observa, immobile. Que diable était-ce donc ? Maintenant, cela bougeait. Cela se dressait…

Grand Dieu ! *Le canon d'un fusil !*

Vif comme l'éclair, Maître Renard rentra d'un bond dans son trou et, au même instant, on eût dit que la forêt entière explosait autour de lui. *Pan-pan-pan ! Pan-pan-pan ! Pan-pan-pan !* La fumée des trois fusils s'éleva dans la nuit. Boggis, Bunce et Bean sortirent de derrière leurs arbres et s'approchèrent du trou.

– On l'a eu ? demanda Bean.

L'un d'eux éclaira le terrier de sa torche électrique. Et là, sur le sol, dans le rond de lumière, dépassant à moitié du trou, gisaient les pauvres restes déchiquetés et ensanglantés… d'une queue de renard !

Bean la ramassa.

— On a la queue, mais pas le renard ! dit-il en la jetant au loin.

— Zut et flûte ! s'écria Boggis. On a tiré trop tard. On aurait dû tirer quand il a sorti la tête.

— Maintenant, il réfléchira à deux fois avant de la sortir, dit Bunce.

Bean tira un flacon de cidre et but à la bouteille. Puis il dit :

– La faim le fera sortir, mais pas avant trois jours au moins. Je ne vais pas attendre, assis à ne rien faire. Creusons et débusquons-le !

– Ah, dit Boggis. Voilà qui est bien parlé ! On peut le débusquer en deux heures. On sait qu'il est là.

– Il y a sans doute toute la famille au fond de ce trou, dit Bunce.

– Eh bien, nous les aurons tous ! dit Bean. À nos pelles !

Les terribles pelles

Au fond du trou, Dame Renard léchait tendrement le moignon de queue de son mari pour l'empêcher de saigner.

– C'était la plus belle queue à des kilomètres à la ronde, dit-elle entre deux coups de langue.

– J'ai mal, dit Maître Renard.

– Je sais, mon ami. Mais bientôt, cela ira mieux.

– Et ta queue repoussera, papa, dit l'un des renardeaux.

– Non, jamais plus, dit Maître Renard. Je serai sans queue le restant de mes jours.

Il avait l'air très sombre.

Ce soir-là, les renards n'avaient pas de quoi manger et bientôt les enfants s'assoupirent. Puis Dame Renard fit de même. Mais Maître Renard ne pouvait pas dormir parce que son moignon de queue lui faisait mal.

« Eh bien, après tout, songea-t-il, je dois m'estimer heureux d'être encore en vie. Seulement, maintenant qu'ils ont trouvé notre trou, nous allons devoir déménager le plus tôt possible. Nous ne serons pas tranquilles tant que… Mais que se passe-t-il ? »

Il tourna vivement la tête et tendit l'oreille. Ce qu'il entendait à présent était le bruit le plus effrayant qui soit pour un renard, le rac-rac-raclement de pelles creusant le sol.

– Réveillez-vous ! hurla-t-il. Ils creusent ! Ils nous délogent !

Dame Renard se réveilla en un clin d'œil. Elle se redressa, toute tremblante.

– Tu en es sûr ? murmura-t-elle.

– Sûr et certain ! Écoute !

– Ils vont tuer mes enfants ! s'écria Dame Renard.

– Jamais ! dit Maître Renard.

– Mais si ! sanglotait Dame Renard. Tu le sais !

Scrunch, scrunch, scrunch ! faisaient les pelles au-dessus de leurs têtes. De la terre et des petits cailloux se mirent à tomber du plafond.

– Ils vont nous tuer ? Comment ça, maman ? demanda l'un des renardeaux, ses

grands yeux noirs écarquillés de terreur. Avec des chiens ?

Dame Renard fondit en larmes. Elle prit ses quatre enfants dans ses bras et les serra contre elle.

Soudain, au-dessus d'eux, on entendit un crissement épouvantable et le tranchant d'une pelle traversa le plafond. Cet horrible spectacle sembla électriser Maître Renard. Il fit un bond et s'écria :

– Ça y est ! Allons-y ! Il n'y a pas un moment à perdre ! Comment ne pas y avoir pensé plus tôt !

– Pensé à quoi, papa ?

– Un renard creuse plus vite qu'un homme ! hurla Maître Renard en commen-çant à creuser. Personne au monde ne creuse aussi vite qu'un renard.

Maître Renard s'était mis à creuser à toute vitesse avec ses pattes avant et, der-rière lui, la terre voltigeait follement.

Dame Renard et les quatre enfants accou-rurent pour l'aider.

– Vers le bas ! ordonna Maître Renard, nous devons creuser profond ! Le plus profond possible !

Long, de plus en plus long, le tunnel avançait. Il descendait à pic, profond, de plus en plus profond, loin de la surface du sol. La mère, le père et les quatre enfants creusaient de concert. Leurs pattes de devant remuaient si vite qu'on ne les voyait plus. Et, peu à peu, les bruits de raclement se firent de plus en plus lointains.

Une heure après, Maître Renard s'arrêta de creuser.

– Stop ! dit-il.

Tous s'arrêtèrent. Ils se retournèrent et levèrent les yeux sur la longue galerie qu'ils venaient de creuser. Tout était tranquille.

– Ouf ! dit Maître Renard, on y est arrivé ! Ils ne descendront jamais jusqu'ici. Bravo à tous !

Ils s'assirent, à bout de souffle. Et Dame Renard dit à ses enfants :

– Il faudrait que vous sachiez que, sans votre père, nous serions tous morts à l'heure qu'il est. Votre père est fantastique.

Maître Renard regarda son épouse qui lui sourit. Lorsqu'elle lui parlait ainsi, il l'aimait plus que jamais.

Les terribles pelleteuses

Le lendemain matin, au lever du soleil, Boggis, Bunce et Bean creusaient toujours. Ils avaient creusé un trou si profond qu'il aurait pu contenir une maison. Mais ils n'étaient pas encore arrivés au bout du tunnel. Ils étaient très fatigués et furieux.

– Zut et flûte ! dit Boggis. Qui est-ce qui a eu cette idée lamentable ?

– Bean, répondit Bunce.

Tous deux regardèrent Bean. Bean but une goulée de cidre, et remit le flacon dans sa poche, sans en offrir aux autres.

— Écoutez ! s'écria-t-il furibond, je veux ce renard ! Et je l'aurai ! Je n'abandonnerai

pas tant qu'il ne sera pas mort et pendu à ma porte d'entrée !

— Ce n'est pas en creusant que nous l'attraperons, ça, c'est sûr, dit le gros Boggis. J'en ai assez de creuser.

Bunce, le nabot ventripotent, leva les yeux sur Bean et demanda :

— Tu as d'autres idées stupides ?

— Quoi ? dit Bean, je ne t'entends pas.

Bean ne prenait jamais de bain. Il ne se lavait pas davantage. Et donc, ses oreilles étaient pleines de toutes sortes de saletés : cire, bouts de chewing-gum, mouches mortes et autres trucs de ce genre. Cela le rendait sourd.

— Parle plus fort, dit-il à Bunce qui lui cria :

— Tu as d'autres idées stupides ?

De son doigt sale, Bean se gratta derrière

la nuque. Il avait un furoncle et cela le démangeait.

– Pour cette affaire, dit-il, on a besoin de machines… de pelles mécaniques. Avec des pelles mécaniques, on le fera sortir en cinq minutes !

C'était une assez bonne idée et les deux autres durent l'admettre.

– Alors, d'accord, dit Bean, prenant les choses en main. Boggis, tu restes ici et fais attention que le renard ne file pas. S'il essaie de sortir, tire vite ! Bunce et moi, on va chercher nos engins.

Le grand maigre Bean s'éloigna, suivi du petit Bunce qui trottait derrière lui. Le gros

Boggis resta où il était, son fusil pointé sur le terrier.

Bientôt, deux énormes pelleteuses noires, l'une conduite par Bean, l'autre par Bunce, arrivèrent en grinçant dans le bois. On aurait dit des monstres redoutables et destructeurs.

– Ohé ! Nous voici ! hurla Bean.

– Mort au renard ! vociféra Bunce.

Les machines se mirent au travail sur la

colline, arrachant d'énormes pelletées
de terre. Tout d'abord, le grand arbre sous
lequel Maître Renard avait creusé son trou
s'abattit comme une quille. De tous côtés,
des rochers voltigeaient, et des arbres tom-
baient dans un vacarme assourdissant.

Blottis au fond de leur tunnel, les renards
écoutaient ces grincements et ces fracas
terribles au-dessus d'eux.

– Que se passe-t-il, papa ? s'écrièrent les
renardeaux. Que font-ils ?

Maître Renard ne savait ni ce qui se passait, ni ce qu'ils faisaient.

– La terre tremble ! cria Dame Renard.

– Regardez ! dit l'un des renardeaux, notre tunnel s'est rétréci ! Je vois le jour !

Ils se retournèrent tous. Oui ! L'ouverture du tunnel était maintenant à quelques mètres et, dans la percée, en plein jour, ils aperçurent les deux énormes pelleteuses noires presque sur eux.

– Des pelleteuses ! hurla Maître Renard. Creusez à toute vitesse ! Creusez ! Creusez ! Creusez !

La course

Alors, entre les renards et les machines, commença une course désespérée. Au début, voici à quoi ressemblait la colline :

Après environ une heure, les pelleteuses
avaient creusé, creusé le sol, et voilà à quoi
ressemblait le sommet de la colline :

Parfois les renards gagnaient un peu de
terrain et les crissements devenaient de plus
en plus faibles.

Maître Renard disait :

– On va y arriver, je suis sûr qu'on va y
arriver !

Et puis, quelques moments plus tard, les
machines revenaient sur eux et les grincements des puissantes pelles mécaniques

devenaient de plus en plus stridents. Une fois, les renards virent même le tranchant métallique d'une pelle qui venait de soulever la terre juste derrière eux.

– Continuons, mes enfants ! haletait Maître Renard. N'abandonnons pas !

– Continuez ! hurlait le gros Boggis à Bunce et Bean. On va l'attraper d'un moment à l'autre !

– Tu ne le vois pas ? demanda Bean.

– Pas encore, cria Boggis, mais vous devez être tout près !

– Je le cueillerai à la pelle ! aboyait Bunce. Je le découperai en petits morceaux !

Mais à l'heure du déjeuner, les machines étaient toujours là. Et les pauvres renards aussi.

Voici maintenant à quoi ressemblait la colline :

Les fermiers ne s'arrêtèrent pas pour déjeuner. Ils avaient trop hâte d'en finir.

– Hé là, Maître Renard ! vociférait Bunce en se penchant de son engin, on vient t'attraper !

– Tu as mangé ton dernier poulet ! hurlait Boggis. Tu ne viendras plus jamais rôder autour de ma ferme !

Une sorte de folie s'était emparée des

trois hommes. Bean, le grand sac à os, et Bunce, le nabot ventripotent, conduisaient leurs machines comme des fous. Les moteurs s'emballaient et les pelles creusaient à toute allure. Autour d'eux, le gros Boggis sautillait comme un derviche en hurlant : « Plus vite ! Plus vite ! »

À cinq heures de l'après-midi, voici dans quel état se trouvait la colline :

Le trou creusé était grand comme le cratère d'un volcan. C'était un spectacle si extraordinaire que les gens arrivaient en foule des villages alentour pour le voir. Ils étaient sur le bord du cratère et regardaient Boggis, Bunce et Bean tout au fond.

– Hé là, Boggis ! Que se passe-t-il ?

– On est après un renard !

– Vous êtes fous !

Les gens se moquaient d'eux et riaient. Mais cela ne faisait qu'accroître la fureur et l'obstination des trois fermiers, plus déterminés que jamais à ne pas abandonner avant d'avoir capturé le renard.

On ne le laissera pas filer !

A six heures du soir, Bean arrêta le moteur de sa pelleteuse et descendit de son siège. Bunce fit de même. Les deux hommes en avaient assez. Ils étaient fatigués et courbatus d'avoir conduit toute la journée. Et aussi, ils avaient faim. Lentement, ils s'approchèrent du petit trou au fond de l'énorme cratère. Bean était rouge de colère. Bunce lança au renard des insultes et des gros mots que je ne peux pas répéter ici. Boggis vint vers eux, avec sa démarche de canard.

– Sale infect renard ! La peste l'étouffe ! dit-il. Que diable faire, à présent ?

– Je peux te dire ce qu'on ne *fera pas*, dit Bean, on ne le laissera pas filer !

– On ne le laissera jamais filer ! déclara Bunce.

– Jamais ! Jamais ! cria Boggis.

– Tu entends, Maître Renard ! vociféra Bean en se penchant et en hurlant dans le trou. Ce n'est qu'un début ! Nous ne rentrerons chez nous que lorsque tu seras mort et pendu !

Sur quoi, les trois hommes se serrèrent la main et firent le serment solennel de ne pas retourner à leurs fermes avant d'avoir attrapé le renard.

– Et maintenant, que faire ? demanda Bunce, le nabot ventripotent.

– On va t'expédier au fond du trou pour aller le chercher ! dit Bean. Allez, dans le trou, misérable demi-portion !

– Non, pas moi ! s'écria Bunce en prenant la fuite.

Bean eut un petit sourire. Quand il souriait, on voyait ses gencives rouges. On voyait d'ailleurs plus ses gencives que ses dents.

– Il n'y a plus qu'une chose à faire, dit-il. Laissons-le mourir de faim. Campons ici jour et nuit pour veiller sur le trou. Il finira par partir. Il le faudra bien.

C'est ainsi que Boggis, Bunce et Bean firent venir de leurs fermes des tentes, des sacs de couchage et leurs soupers.

La grande famine des renards

Ce soir-là, sur la colline, trois tentes furent dressées dans le cratère, autour du terrier de Maître Renard. Assis devant leurs tentes, les trois fermiers soupaient. Boggis mangeait trois poulets cuits à la cocotte avec des croquettes, Bunce six beignets fourrés d'une infâme bouillie de foies d'oies, et Bean buvait huit litres de cidre. Tous les trois avaient leurs fusils à côté d'eux.

Boggis prit un poulet fumant et l'approcha du terrier.

– Maître Renard ! hurla-t-il. Est-ce que tu sens ce tendre, ce succulent poulet ? Pourquoi ne viens-tu pas le chercher ?

L'appétissant fumet du poulet descendit jusqu'à l'endroit du tunnel où étaient blottis les renards.

– Oh ! papa, dit l'un des renardeaux, si on sortait vite le prendre ?

– Tu n'y penses pas ! dit Dame Renard. C'est exactement ce qu'ils souhaitent.

– Mais nous avons tellement faim ! s'écrièrent les renardeaux. Quand aurons-nous quelque chose à grignoter ?

Leur mère ne répondit pas. Leur père non plus. Il n'y avait rien à répondre.

À la tombée de la nuit, Bunce et Bean allumèrent les phares des deux pelleteuses et éclairèrent le trou.

– Maintenant, dit Bean, nous allons veiller à tour de rôle. L'un veillera pendant que les deux autres dormiront et ainsi de suite pendant toute la nuit.

Boggis demanda :

— Et si le renard creuse un trou dans la colline et sort par un autre côté ? Tu n'y avais pas pensé, à ce tour-là ?

— Bien sûr que si, dit Bean qui n'y avait pas pensé du tout.

— Alors, vas-y, donne-nous la solution, dit Boggis.

Bean sortit une petite saleté de son oreille et la jeta d'une chiquenaude.

– Combien d'hommes travaillent à ta ferme ? demanda-t-il.

– Trente-cinq, répondit Boggis.

– J'en ai trente-six, ajouta Bunce.

– Et moi, trente-sept, dit Bean. Ça fait cent huit en tout. Ordonnons-leur d'entourer la colline. Chacun aura un fusil et une torche électrique. Ainsi, pas moyen de s'enfuir pour Maître Renard !

Les ordres arrivèrent donc aux fermes et, cette nuit-là, cent huit hommes encerclèrent étroitement le bas de la colline. Ils étaient armés de bâtons, de fusils, de hachettes, de pistolets et de toutes sortes d'armes épouvantables. Cela rendait toute fuite pratiquement impossible pour un renard et, bien sûr, pour tout autre animal.

Le lendemain, ils continuèrent à surveiller et à attendre. Boggis, Bunce et Bean étaient assis sur de petits tabourets, les yeux fixés sur le terrier, leurs fusils sur les genoux. Ils ne parlaient pas beaucoup.

De temps à autre, Maître Renard se

glissait près de l'entrée du tunnel pour flairer. Puis il revenait et déclarait :

— Ils sont toujours là.

— Tu en es sûr ? demandait Dame Renard.

— Sûr et certain, disait Maître Renard. Je peux sentir ce gredin de Bean à un kilomètre. Il empeste !

Maître Renard a un plan

Pendant trois jours et trois nuits, cette petite attente continua.

– Combien de temps un renard peut-il tenir sans boire et sans manger ? demanda Boggis, le troisième jour.

– Plus très longtemps, maintenant, répondit Bean. La faim et la soif le feront bientôt sortir. C'est sûr.

Bean avait raison. Dans le tunnel, lentement mais sûrement, les renards mouraient de faim.

– Si seulement nous avions rien qu'une petite goutte d'eau, dit l'un des renardeaux. Oh ! papa, tu ne peux pas faire quelque chose ?

– Et si on allait en chercher, papa ? On aurait une petite chance de réussir, non ?

– Aucune chance, coupa Dame Renard. Je refuse de vous laisser monter affronter ces fusils. Je préfère que vous mouriez tranquillement ici.

Maître Renard n'avait pas parlé depuis longtemps. Assis, tout à fait immobile, les yeux fermés, il n'écoutait même pas ce que

disaient les autres. Dame Renard savait qu'il essayait désespérément de trouver une solution. Et à présent, voilà qu'elle le voyait se remuer et se mettre lentement sur ses pattes. Une petite flamme dansait dans ses yeux.

– Qu'y a-t-il, mon ami ? demanda-t-elle vivement.

– Je viens juste d'avoir une petite idée, répondit prudemment Maître Renard.

– Quoi, papa ? s'écrièrent les renardeaux. Oh ! quoi ?

– Allons, fit Dame Renard, dis-nous vite !

– Eh bien… dit Maître Renard.

Puis il s'arrêta, soupira, secoua tristement la tête et se rassit.

– Elle n'est pas bonne, dit-il, ça ne marchera jamais.

– Et pourquoi, papa ?

– Parce qu'il faudrait creuser davantage et aucun de nous n'est assez fort pour cela, après trois jours et trois nuits sans manger.

– Si, papa ! Nous sommes assez forts ! s'écrièrent les renardeaux.

Maître Renard regarda les quatre renardeaux et il sourit. « Comme j'ai de braves enfants ! songeait-il. Ils n'ont rien mangé depuis trois jours et ils ne veulent toujours

pas s'avouer vaincus. Je ne dois pas les décevoir. »

– Eh bien… Nous pourrions essayer, dit-il.

– Allons-y, papa ! Dis-nous ce que tu veux qu'on fasse !

Lentement, Dame Renard se mit sur ses pattes. Plus que les autres elle souffrait de faim et de soif et elle était très affaiblie.

– Je suis désolée, dit-elle, mais je ne crois pas que je vous aiderai beaucoup.

– Reste là, ma chérie, dit Maître Renard. Nous pouvons nous débrouiller tout seuls.

Le poulailler numéro 1 de Boggis

— Cette fois, nous devons creuser dans une direction bien précise, dit Maître Renard, en indiquant un endroit sur le côté et vers le bas.

Ses quatre enfants et lui se remirent donc à creuser.

Ils travaillaient maintenant beaucoup plus lentement, mais avec plein de courage, et, petit à petit, le tunnel commença à s'agrandir.

— Papa, j'aimerais que tu nous dises où nous allons, dit l'un des enfants.

– Je n'ose pas, dit Maître Renard, parce que le lieu que j'espère atteindre est si merveilleux que vous deviendriez fous d'excitation si je vous le décrivais. Alors, si nous le manquions – ce qui est fort possible – vous seriez horriblement déçus. Je ne veux pas vous donner trop d'espoir, mes enfants.

Pendant longtemps ils continuèrent à creuser. Combien de temps cela dura, ils ne savaient pas, car, dans ce tunnel sombre, il n'y avait ni jours ni nuits. Mais à la fin, Maître Renard donna l'ordre d'arrêter.

— Je crois que nous ferions mieux de jeter un coup d'œil au-dessus, maintenant, pour voir où nous sommes. Je sais où je *voudrais* me trouver, mais de là à affirmer que nous en sommes près…

Lentement, péniblement, les renards se mirent à creuser le tunnel vers la surface. Cela montait, montait… Soudain, au-dessus de leurs têtes, ils rencontrèrent quelque chose de dur. Ils ne pouvaient aller plus loin.

Maître Renard se redressa pour voir ce que c'était.

– C'est du bois ! chuchota-t-il. Des planches en bois.

– Qu'est-ce que ça veut dire, papa ?

– Ça veut dire, murmura Maître Renard, à moins que je ne me trompe complètement, que l'on est juste sous la maison de quelqu'un. Restez tranquilles, pendant que je jette un coup d'œil.

Prudemment, Maître Renard se mit à pousser une des planches. Elle craqua de façon épouvantable et tous se baissèrent, s'attendant à quelque catastrophe. Rien n'arriva.

Alors, Maître Renard poussa une autre planche. Et puis, très, très prudemment, il passa la tête dans l'ouverture.

Il laissa échapper un cri d'enthousiasme.

– J'ai réussi ! hurlait-il. Du premier coup ! J'ai réussi ! J'ai réussi !

Il se glissa à travers l'ouverture du plancher et se mit à trépigner et à danser de joie.

– Venez ! criait-il. Venez voir où vous êtes, mes enfants ! Quel spectacle pour un renard affamé ! Alléluia ! Hourra ! Hourra !

Les quatre renardeaux se hissèrent du tunnel et… quel merveilleux spectacle s'étalait à présent sous leurs yeux ! Ils se trouvaient dans un grand hangar et le lieu entier regorgeait de poulets. Il y en avait des blancs, des bruns et des noirs, par milliers.

– Le poulailler numéro 1 de Boggis ! dit Maître Renard. Exactement là où je voulais aller ! J'ai tapé droit dans le mille ! Du premier coup ! N'est-ce pas fantastique ? Qu'est-ce que je suis malin !

Les renardeaux étaient fous d'enthousiasme. Ils se mirent à courir dans tous les sens, en pour-suivant les stupides volailles.

– Attendez ! ordonna Maître Renard. Ne perdez pas la tête ! Reculez ! Calmez-vous ! Agis-sons comme il faut ! Avant toute chose, allons boire !

Tous coururent vers l'abreuvoir des pou-lets et avalèrent la délicieuse eau fraîche. Puis, Maître Renard choisit trois poules des plus grasses et, d'un petit coup de mâchoires, il les tua en un clin d'œil.

– De retour au tunnel ! commanda-t-il. Allons ! Pas de bêtises ! Plus vite on partira, plus vite on mangera !

Les uns après les autres, ils se coulèrent dans l'ouverture du plancher et, bientôt, ils se retrouvèrent dans le tunnel sombre. Maître Renard remit très soigneusement les planches

à leur place. Il le fit avec grand soin, de telle façon que personne ne puisse voir qu'on les avait déplacées.

– Mon fils, fit-il en donnant les trois poules grasses au plus grand des quatre renardeaux, cours rejoindre ta mère. Dis-lui de préparer un festin. Dis-lui que nous serons de retour en un clin d'œil, dès que nous aurons fini quelques autres petits préparatifs…

Une surprise pour Dame Renard

Le renardeau courut le long du tunnel, avec les trois poules grasses, de toute la vitesse de ses quatre pattes. Il était fou de joie.

« Ah, quand maman verra ça ! » songeait-il.

La route était longue mais il ne s'arrêta pas une seule fois et il arriva en courant vers Dame Renard.

– Maman ! s'écria-t-il à bout de souffle. Regarde, maman ! Réveille-toi et regarde ce que je t'apporte !

Dame Renard, plus affaiblie que jamais par la faim, ouvrit un œil et vit les poules.

– Je rêve, murmura-t-elle, et elle referma l'œil.

— Tu ne rêves pas, maman ! Ce sont de vraies poules ! Nous sommes sauvés ! Nous ne mourrons pas de faim !

Dame Renard ouvrit les deux yeux et se redressa vite.

— Mais, mon cher petit, s'exclama-t-elle, où diable… ?

— Au poulailler numéro 1 de Boggis ! bredouilla le renardeau. Nous avons creusé un tunnel qui aboutit exactement dessous ! Si tu voyais toutes ces belles poules grasses ! Et papa a dit de préparer un festin ! Ils seront bientôt de retour !

La vue de la nourriture sembla redonner des forces à Dame Renard.

– Oui, préparons un festin ! dit-elle en se levant. Ton père est vraiment fantastique ! Dépêche-toi, mon petit, et commence à plumer ces poules !

Au loin, dans le tunnel, ce fantastique Maître Renard disait :

– Seconde étape, mes enfants ! Celle-ci sera un jeu d'enfant. Tout ce que nous avons à faire est de creuser un petit tunnel de là à là.

– Jusqu'où, papa ?

– Ne posez pas tant de questions. Creusez !

Blaireau

Maître Renard et ses trois autres renardeaux creusaient vite et droit. Ils étaient trop excités pour sentir la faim ou la fatigue. Ils savaient que sous peu ils feraient un énorme, un magnifique festin, et justement avec les poulets de Boggis ! Là-bas, sur la colline, le gros fermier attendait qu'ils meurent de faim. Il était bien loin de se douter qu'il leur fournissait à manger ! Rien que d'y penser, ils se tordaient de rire !

– Continuez à creuser ! dit Maître Renard. Ce n'est pas très loin !

Tout à coup, une voix grave dit au-dessus d'eux :

– Qui va là ?

Les renardeaux sursautèrent. Ils levèrent les yeux et virent un long museau noir, pointu et poilu, épiant à travers un petit trou du plafond.

– Blaireau ! s'écria Maître Renard.

– Ce vieux Renard ! s'exclama Blaireau. Mon Dieu, que je suis content d'avoir enfin

trouvé quelqu'un ! Je creuse en rond depuis trois jours et trois nuits et je n'ai pas la moindre idée de l'endroit où je me trouve.

Blaireau élargit le trou du plafond et se laissa tomber à côté des renards. Petit Blaireau (son fils) se laissa tomber à son tour.

– Tu n'es pas au courant de ce qui se passe sur la colline ? dit Blaireau tout excité. Le chaos ! La moitié de la forêt a disparu et il y a des hommes armés de fusils dans tout le pays. Aucun de nous ne peut sortir, même la nuit ! Nous allons tous mourir de faim !

– Qui, nous ? demanda Maître Renard.

– Nous, les animaux fouisseurs, moi, Taupe, Lapin, nos femmes et nos enfants. Même Belette est obligée de se cacher dans mon trou avec son épouse et ses six petits. Que diable allons-nous faire, mon vieux Renard ? Je crois que c'en est fini de nous !

Maître Renard regarda ses enfants et il sourit. Les enfants lui rendirent son sourire d'un air complice.

– Mon cher vieux Blaireau, dit-il, tout ça, c'est ma faute…

– Je sais que c'est ta faute ! dit Blaireau

d'un ton furibond. Et les fermiers n'abandonneront pas tant qu'ils ne t'auront pas pris. Malheureusement, ça veut dire qu'ils *nous* auront aussi, nous, les animaux de la colline.

Blaireau s'assit et mit une patte autour de son petit.

– Nous sommes perdus, dit-il doucement. Là-haut, ma pauvre épouse est si faible qu'elle ne peut plus creuser un mètre.

– La mienne non plus, dit Maître Renard. Et pourtant, à l'instant même, elle prépare pour moi et mes enfants le plus succulent festin de poulets dodus et juteux…

– Arrête ! hurla Blaireau. Ne me fais pas enrager ! Je ne peux pas le supporter !

– C'est vrai ! s'écrièrent les renardeaux. Papa ne plaisante pas ! Nous avons des poulets à foison !

– Et puisque tout est entièrement ma faute, dit Maître Renard, je t'invite à partager le festin. J'invite tout le monde, toi, Taupe, Lapin, Belette, vos femmes et vos

enfants. Il y aura plein à manger pour tous, je peux te l'assurer.

– Sérieusement ? s'écria Blaireau, tu parles vraiment sérieusement ?

Maître Renard approcha son museau de celui de Blaireau et chuchota d'un air mystérieux :

– Sais-tu d'où nous venons ?

– D'où ?

– Du poulailler numéro 1 de Boggis.

– Non !

– Si ! Mais ce n'est rien à côté de là où

nous allons maintenant. Tu es venu au bon moment, mon cher Blaireau. Tu peux nous aider à creuser. Et pendant ce temps, ton petit n'a qu'à courir rejoindre Dame Blaireau et tous les autres pour répandre la bonne nouvelle.

Maître Renard se tourna vers Petit Blaireau :

— Dis-leur qu'ils sont invités au festin de Renard. Et puis fais-les tous descendre ici et suivez ce tunnel jusqu'à mon logis.

— Oui, Maître Renard, dit Petit Blaireau. Oui, monsieur. Tout de suite, monsieur. Oh, merci, monsieur !

Et il regrimpa vite par le trou du plafond et disparut.

L'entrepôt géant de Bunce

— Qu'est-il donc arrivé à ta queue, mon vieux Renard ? s'écria Blaireau.

— N'en parlons pas, je t'en prie, dit Maître Renard. C'est un sujet douloureux.

Ils continuèrent à creuser le nouveau tunnel en silence. Blaireau était un grand fouisseur et depuis qu'il donnait un coup de patte, le tunnel avançait à toute allure. Bientôt, ils se retrouvèrent au-dessous d'un autre plancher.

Maître Renard sourit d'un air rusé, montrant ses dents blanches et pointues.

— Si je ne me suis pas trompé, mon cher Blaireau, dit-il, nous sommes maintenant sous la ferme qui appartient à Bunce, ce vilain nabot ventripotent. En fait, nous sommes juste sous l'endroit le plus intéressant de cette ferme.

– Des oies et des canards ! s'écrièrent les renardeaux en se léchant les babines. Des canards tendres et juteux, et de belles oies grasses !

– Ex-ac-te-ment, dit Maître Renard.

– Mais comment donc peux-tu savoir où nous sommes ? demanda Blaireau.

Le sourire de Maître Renard s'élargit un peu plus sur ses dents blanches.

– Écoute, dit-il, j'irais les yeux

fermés jusqu'à ces fermes. Pour moi, c'est tout aussi facile dessous que dessus.

Il se dressa et poussa une latte en bois, puis une autre. Il passa la tête par l'ouverture.

– Oui ! hurla-t-il en sautant dans la pièce au-dessus. J'ai encore réussi ! J'ai mis dans le mille ! Droit dans le mille ! Venez voir !

Blaireau et les trois renardeaux le suivirent. Ils s'arrêtèrent, les yeux écarquillés. Ils

restaient bouche bée. Ils étaient si comblés qu'ils ne pouvaient plus parler ; car ce qu'ils voyaient maintenant était en quelque sorte le rêve de tout renard, le rêve de tout blaireau, un paradis pour les animaux affamés.

— Ceci, mon cher vieux Blaireau, déclara Maître Renard, c'est l'entrepôt géant de Bunce. Toutes ses provisions sont stockées ici en attendant de partir au marché.

Contre les quatre murs de l'immense pièce, entassés dans des armoires et empilés sur des étagères qui allaient du sol jusqu'au plafond, il y avait des milliers et des milliers

de canards et d'oies, les plus beaux, les plus gras, plumés et prêts à cuire ! et au-dessus, pendus au plafond, il devait y avoir au moins une centaine de jambons fumés et cinquante flèches de lard.

– Quel régal pour les yeux ! s'écria Maître Renard, sautant et dansant. Qu'est-ce que vous en dites, hein ? Plutôt pas mal comme bouffe !

Soudain, comme mus par des ressorts, les trois renardeaux affamés et Blaireau, qui aurait mangé un éléphant, se jetèrent sur la succulente nourriture.

– Arrêtez ! ordonna Maître Renard. C'est *mon* festin. Aussi, c'est moi qui choisirai.

Les autres reculèrent en se léchant les babines. Maître Renard se mit à faire le tour de l'entrepôt, examinant ce magnifique étalage de nourriture d'un œil connaisseur. Un filet de salive dégoulina le long de sa mâchoire.

– N'exagérons pas, dit-il, ne vendons pas la mèche. Il ne faut pas qu'on sache que nous sommes venus. Agissons avec ordre et propreté et ne prenons que quelques morceaux de choix. Aussi, pour commencer, prenons quatre canetons dodus.

Il les prit sur une étagère.

– Oh ! comme ils sont beaux et gras ! Pas étonnant que Bunce les vende si cher au

marché… Très bien, Blaireau, donne-moi
un coup de patte pour les descendre…
Vous, les enfants, vous pouvez aider
aussi… Allons-y… Mon Dieu, comme
vous avez l'eau à la bouche ! Et maintenant… nous ferions bien de prendre
quelques oies… Trois devraient suffire…
Prenons les plus grasses… Oh ! mon Dieu,
mon Dieu, il n'y a pas plus belles oies dans
la cuisine d'un roi… allons-y doucement…
voilà… et que diriez-vous de deux beaux
jambons fumés ?… J'adore le jambon
fumé, pas toi, Blaireau ? Passe-moi un

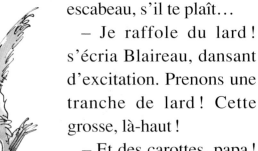

escabeau, s'il te plaît…

– Je raffole du lard !
s'écria Blaireau, dansant
d'excitation. Prenons une
tranche de lard ! Cette
grosse, là-haut !

– Et des carottes, papa !
dit le plus petit des
trois renardeaux. Prenons
quelques carottes.

– Que tu es bête, dit Maître Renard. Tu sais bien qu'on n'en mange jamais.

– Ce n'est pas pour nous, papa. C'est pour les lapins. Ils ne mangent que des légumes.

– Mon Dieu, tu as raison ! s'écria Maître Renard. Tu penses vraiment à tout, mon petit ! Prenons dix bouquets de carottes !

Bientôt, tout ce magnifique butin forma un beau tas sur le sol. Les renardeaux étaient accroupis à côté, la truffe frémissante, les yeux brillants comme des étoiles.

— Et maintenant, dit Maître Renard, nous allons emprunter à notre ami Bunce deux de ces charrettes, dans le coin. Elles nous seront bien utiles.

Blaireau et lui allèrent chercher les charrettes et chargèrent les oies, les canards, les jambons et le lard. Ils les firent descendre par le trou du plancher et s'y glissèrent à leur tour. Dans le tunnel, Maître Renard remit les lattes du plancher à leur place. Ainsi personne ne pourrait voir qu'on les avait déplacées.

— Mes enfants, dit-il en désignant deux des trois renardeaux, prenez chacun une charrette et courez rejoindre votre mère de toute la vitesse de vos quatre pattes. Dites-lui combien je l'aime. Dites-lui que nous avons invité à dîner les familles Blaireau, Taupe, Lapin et Belette, que ce doit être vraiment un festin grandiose et que nous reviendrons au logis dès que nous aurons fini un autre petit travail.

– Oui, papa ! Tout de suite, papa ! répondirent-ils.

Ils saisirent chacun un chariot et foncèrent dans le tunnel.

Blaireau a des scrupules

— Plus qu'un endroit à visiter ! cria Maître Renard.

— Et je parie que je sais ce que c'est, dit le seul renardeau qui restait. (C'était le plus petit des quatre renardeaux.)

— Qu'est-ce que c'est ? demanda Blaireau.

— Eh bien, dit le petit renardeau, nous sommes allés chez Boggis et chez Bunce, mais pas chez Bean. Ce doit être chez lui.

— Tu as raison, dit Maître Renard, mais ce

que tu ignores, c'est quel endroit de chez Bean nous allons visiter.

– Lequel ? firent ensemble Blaireau et le plus petit renardeau.

– Ah, ah ! dit Maître Renard. Attendez un peu et vous verrez !

Tout en parlant, ils creusaient. Le tunnel avançait vite. Soudain, Blaireau demanda :

– Ça ne t'ennuie pas un petit peu, mon vieux Renard ?

– M'ennuyer ? dit Maître Renard. Quoi ?

– Tous ces… tous ces vols.

Maître Renard s'arrêta de creuser et fixa Blaireau comme s'il avait complètement perdu la boule.

– Chère vieille toupie poilue ! s'écria-t-il. Connais-tu une seule personne au monde qui ne chiperait pas quelques poulets si ses enfants mouraient de faim ?

Il y eut un bref silence au cours duquel Blaireau réfléchit profondément.

– Tu es beaucoup trop honnête, dit Maître Renard.

– Il n'y a pas de mal à être honnête, dit Blaireau.

– Écoute, dit Maître Renard, Boggis, Bunce et Bean ont décidé de nous tuer. Tu t'en rends compte, j'espère ?

– Je m'en rends compte, mon vieux Renard, je m'en rends compte, répondit le gentil Blaireau.

– Mais nous ne sommes pas aussi vils. Nous ne voulons pas les tuer.

– Bien sûr que non, dit Blaireau.

– Ça ne nous viendrait jamais à l'idée, dit Maître Renard. Nous leur prendrons simplement un peu de nourriture par-ci, par-là, pour nous maintenir en vie, nous et nos familles. D'accord ?

– Je crois que nous y sommes obligés, dit Blaireau.

– Laissons-les être odieux s'ils veulent, dit Maître Renard. Nous, ici, sous terre, nous sommes de braves gens pacifiques.

Blaireau inclina la tête et sourit à Maître Renard.

– Mon vieux Renard, dit-il, je t'adore.

– Merci, dit Maître Renard. Et maintenant, continuons à creuser.

Cinq minutes plus tard, les pattes avant de Blaireau rencontrèrent quelque chose de plat et de dur.

– Diable ! Qu'est-ce que c'est ? dit-il. Ça ressemble à un solide mur de pierre.

Maître Renard et lui grattèrent la terre qui le recouvrait. C'était bien un mur. Mais il était fait de brique, pas de pierre. Le mur était juste en face d'eux, bloquant la voie.

— Qui donc a eu l'idée de construire un mur sous la terre ? demanda Blaireau.

— Très simple, dit Maître Renard. C'est le mur d'une pièce souterraine. Et si je ne me trompe pas, c'est exactement ce que je cherche.

La cave secrète de Bean

Maître Renard examina le mur avec attention. Il vit que le ciment entre les briques était vieux et s'effritait. Aussi, il fit bouger une brique sans trop de difficultés et l'enleva. Soudain, de ce trou, surgit un petit museau pointu et moustachu.

— Allez-vous-en ! fit-il sèchement, vous ne pouvez pas rentrer ! C'est privé !

— Doux Jésus ! s'écria Blaireau. Rat !

— Tu as du toupet, animal ! dit Maître Renard. J'aurais dû deviner qu'on te trouverait bien par ici !

– Allez ouste ! hurlait le rat, du balai !
C'est ma propriété privée.

– Tais-toi ! dit Maître Renard.

– Je ne me tairai pas ! vociférait le rat.
C'est *mon* domaine ! J'y suis venu le premier !

Maître Renard sourit. Ses dents étince-
laient.

– Mon cher Rat, dit-il, je suis un renard
affamé et si tu ne files pas en vitesse, je ne
ferai qu'une bouchée de toi !

Ça marcha. Le rat disparut de leur vue en
un clin d'œil. Maître Renard éclata de rire,
et se mit à enlever d'autres briques du mur.

Quand il eut agrandi le trou, il s'y glissa, suivi par Blaireau et le petit renardeau.

Ils se trouvaient dans une vaste cave humide et sombre.

– C'est ça ! s'écria Maître Renard.

– Quoi ? dit Blaireau, l'endroit est vide.

– Où sont les dindes ? demanda le plus petit renardeau, les yeux écarquillés dans l'obscurité. Je croyais que Bean élevait des dindes.

– Il en élève, dit Maître Renard, mais nous n'en cherchons pas, maintenant. Nous avons de quoi manger en quantité.

– Alors, de quoi avons-nous besoin, papa ?

– Regarde bien autour de toi, dit Maître Renard. Tu ne vois rien qui t'intéresse ?

Blaireau et le petit renardeau scrutèrent la pénombre. Quand leurs yeux se furent habitués à l'obscurité, ce qu'ils virent ressemblait à tout un lot de grandes jarres en verre, disposées sur des étagères, contre les murs. Ils s'approchèrent. C'était bien des jarres.

Il y en avait des centaines et sur chacune on pouvait lire : CIDRE.

Le petit renardeau fit un grand bond en l'air.

— Oh ! papa ! s'écria-t-il. Regarde ce que nous avons trouvé ! Du cidre !

— Ex-ac-te-ment, dit Maître Renard.

— Formidable ! hurla Blaireau.

— La cave secrète de Bean, dit Maître Renard. Mais allez-y prudemment, mes amis, pas de bruit. Cette cave est juste sous la ferme.

— Le cidre est particulièrement bon pour les blaireaux, dit Blaireau. Nous le prenons comme remède. Un grand verre trois fois par jour aux repas et un autre au coucher.

— Cela transformera le festin en banquet, dit Maître Renard.

Pendant qu'ils parlaient, le petit renar-

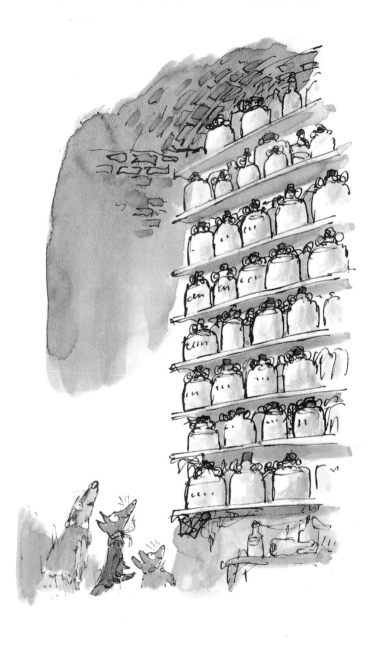

deau avait pris une jarre sur une étagère et il avait bu une gorgée.

– Ouh ! dit-il, haletant. Ouaouh !

Vous avez deviné qu'il ne s'agissait pas du cidre ordinaire, léger et pétillant, que l'on achète dans les magasins. C'était du vrai de vrai, du cidre « maison », de l'alcool fort qui vous brûlait la gorge et vous enflammait l'estomac.

– Ah-h-h-h ! faisait le petit renardeau, le souffle coupé.

– Ça suffit comme ça, dit Maître Renard en lui arrachant la jarre et en la portant à ses lèvres. (Il prit une formidable gorgée.) C'est miraculeux, chuchota-t-il en essayant de retrouver sa respiration. C'est fabuleux ! C'est magnifique !

— À mon tour, dit Blaireau en prenant la jarre et en renversant la tête en arrière.

Le cidre gargouillait et glougloutait en coulant dans sa gorge.

— C'est… c'est comme de l'or fondu, soufflait-il, oh ! mon vieux Renard, c'est… comme boire des rayons de soleil et des arcs-en-ciel !

— Vous marchez sur mes plates-bandes ! hurla le rat. Posez-moi ça tout de suite ! Il ne va plus m'en rester.

Le rat était perché sur la plus haute étagère de la cave, les observant derrière une énorme jarre. Dans le col de la jarre, il y avait un petit tuyau de caoutchouc qu'il utilisait pour aspirer le cidre.

– Tu es soûl ! dit Maître Renard.

– Occupe-toi de tes affaires ! vociféra le rat. Grosses brutes épaisses ! Si vous venez ici faire la foire, nous nous ferons tous prendre ! Filez et laissez-moi siroter mon cidre tranquillement.

À ce moment, ils entendirent une voix de femme qui appelait à grands cris, dans la maison, au-dessus.

– Dépêchez-vous d'aller prendre ce cidre, Mabel, disait-elle, vous savez que M. Bean n'aime pas qu'on le fasse attendre ! Surtout après avoir passé toute la nuit sous une tente !

Les animaux en eurent froid dans le dos. Ils s'immobilisèrent, oreilles dressées, corps tendu. Puis ils entendirent le bruit d'une porte qui s'ouvrait. La porte était en haut d'un escalier de pierre qui menait à la cave.

Et maintenant, quelqu'un commençait à descendre les marches.

La femme

– Vite ! dit Maître Renard. Cachons-nous !

Blaireau, le petit renardeau et lui bondirent sur une étagère et se tapirent derrière une rangée de grosses jarres de cidre. En regardant à la dérobée, ils virent une énorme femme qui descendait l'escalier. En bas des marches, elle fit halte, regardant à gauche et à droite. Puis elle se tourna et se dirigea directement vers l'endroit où se cachaient Maître Renard, Blaireau et le petit renardeau. Elle s'arrêta juste en face d'eux.

La seule chose qui les séparait était une rangée de jarres. La femme était si près que Maître Renard pouvait entendre le bruit de sa respiration. Il risqua un coup d'œil entre deux bouteilles et remarqua qu'elle avait un rouleau à pâtisserie à la main.

— Combien en veut-il, cette fois, madame Bean ? hurla la femme.

Et du haut des marches, l'autre voix répondit :

— Montez deux ou trois jarres.

— Hier, il en a bu quatre, madame Bean.

— Oui, mais il n'en veut pas autant aujourd'hui parce qu'il ne va plus rester là-bas que quelques heures. Il dit que le renard sortira sûrement ce matin. Il ne peut pas rester un jour de plus dans ce trou sans manger.

Dans la cave, la femme étendit les bras et souleva une jarre. Il ne restait plus qu'une jarre entre la femme et celle derrière laquelle se cachait Maître Renard.

— Je me réjouirai quand cette sale bête sera tuée et pendue à la porte d'entrée, criait-elle. Et à propos, madame Bean, votre mari m'a promis la queue en souvenir.

— La queue a été mise en pièces par les balles, dit la voix du dessus. Vous ne le saviez pas ?

— Elle est donc perdue ?

— Bien sûr qu'elle est perdue. Ils ont tiré sur la queue mais ils ont raté le renard.

— Oh, zut ! dit la grosse femme. Je voulais tant cette queue !

— Vous aurez la tête à la place, Mabel. Vous pourrez la faire empailler et l'accrocher au mur de votre chambre. Maintenant dépêchez-vous avec ce cidre !

– Oui, m'dame, je viens, dit la grosse femme.

Et elle prit une deuxième jarre sur l'étagère.

« Si elle en prend une autre, elle va nous voir », pensa Maître Renard.

Il sentait le corps du petit renardeau, serré étroitement contre lui, tremblant de peur.

– Est-ce que deux ce sera assez, madame Bean, ou dois-je en prendre trois ?

– Mon Dieu, Mabel, ça m'est égal du moment que vous vous pressez.

« Alors, va pour deux, se dit l'énorme femme en elle-même. De toute façon, il boit trop. »

Portant une jarre dans chaque main et serrant le rouleau à pâtisserie sous son bras, elle traversa la cave. Au bas de l'escalier, elle fit halte et regarda autour d'elle, en reniflant.

– Il y a encore des rats, ici, madame Bean. Je les sens.

– Alors, empoisonnez-les, ma brave,

empoisonnez-les. Vous savez où l'on met le poison.

– Oui, m'dame, dit Mabel.

Elle remonta l'escalier lentement et disparut. La porte claqua.

– Vite ! dit Maître Renard, prenez chacun une jarre et filons !

Le rat était debout sur sa haute étagère et il cria :

– Qu'est-ce que je vous avais dit ! Vous avez failli être pincés, hein ? Vous avez

failli vendre la mèche ! Décampez, maintenant ! Je ne veux plus vous voir dans les
parages ! C'est mon domaine !

– Toi, dit Maître Renard, tu finiras empoi-
sonné.

– Fadaises ! dit le rat. Je la vois mettre le
poison de mon perchoir. Elle ne m'aura
jamais.

Maître Renard, Blaireau et le petit renardeau saisirent chacun une jarre et ils traver-
sèrent la cave en courant.

– Salut, Rat ! lancèrent-ils en disparais-
sant par le trou du mur. Merci pour ce cidre
délicieux !

– Voleurs ! hurlait le rat. Pilleurs ! Ban-
dits ! Détrousseurs !

Le grand festin

De retour au tunnel, ils s'arrêtèrent et Maître Renard reboucha le trou du mur. Il marmonnait tout seul en remettant les briques à leur place :

– Quel cidre fabuleux ! J'en ai encore le goût à la bouche ! disait-il. Ce rat, quel effronté !

– Il a de mauvaises manières, dit Blaireau, comme tous les rats. Je n'ai jamais rencontré de rat bien élevé.

– Et il boit trop, dit Maître Renard en replaçant la dernière brique. Là, voilà. Maintenant, à la maison pour le festin !

Ils saisirent leurs jarres de cidre et partirent.

Maître Renard était en tête, suivi du petit renardeau puis de Blaireau. Le long du tunnel, ils couraient… tiens, le tournant menant à l'entrepôt géant de Bunce… tiens, le poulailler numéro 1 de Boggis et puis la longue ligne droite vers l'endroit où, ils le savaient, Dame Renard les attendait.

– Continuez, mes enfants ! hurlait Maître Renard. Nous y sommes bientôt ! Pensez à ce qui nous attend, à l'autre bout ! Voilà

qui devrait réconforter la pauvre Dame Renard !

Tout en courant, Maître Renard chantait une petite chanson :

De retour à mon logis
Je retrouverai ma mie !
Elle dansera partout
Dès qu'elle aura bu un coup
Un petit coup de cidre doux !

Blaireau se mit à chanter, lui aussi :

À moitié morte de faim
Dame Blaireau est mal en point !

Mais elle renaîtra tout à coup
Dès qu'elle aura bu un coup
Un petit coup de cidre doux !

Ils chantaient encore dans le dernier tournant quand ils tombèrent sur le spectacle

le plus merveilleux et le plus étonnant qu'ils avaient jamais vu. Le festin venait de commencer.

Une grande salle à manger avait été creusée dans la terre, et, au milieu, assis autour d'une énorme table, il n'y avait pas moins de trente animaux : Dame Renard et les

trois renardeaux ; Dame Blaireau et les quatre petits blaireaux ; Taupe, Dame Taupe et les quatre petites taupes ; Lapin, Dame Lapin et les cinq petits lapins ; Belette, Dame Belette et les six petites belettes.

Poulets, canards, oies, lard et jambons s'amoncelaient sur la table, et tous étaient en train d'attaquer ces mets délicieux.

– Mon ami, s'écria Dame Renard en sautant au cou de Maître Renard. Nous ne pouvions plus attendre ! Pardonne-nous, je t'en prie !

Puis elle embrassa le petit renardeau. Dame Blaireau embrassa Blaireau et tout le monde s'embrassa. Avec des cris de joie, on plaça les énormes jarres de cidre sur la table, et Maître Renard, Blaireau et le petit renardeau s'assirent avec les autres.

Vous vous rappelez sans doute qu'aucun n'avait mangé une miette depuis plusieurs jours. Ils avaient une faim de loup.

Aussi pendant un moment, il n'y eut aucune conversation. On entendait seulement le bruit des dents et des mâchoires que faisaient les animaux attaquant le succulent repas.

À la fin, Blaireau se mit debout, leva son verre de cidre et s'écria :

– Un toast ! Je veux que vous vous leviez tous et que vous portiez un toast à notre cher ami qui nous a sauvé la vie aujourd'hui, Maître Renard.

– À Maître Renard ! crièrent-ils en chœur, en levant leurs verres. A Maître Renard ! Longue vie à Maître Renard !

Alors, Dame Renard se mit timidement sur ses pattes et dit :

— Je ne veux pas faire un discours. Je veux seulement dire une chose : mon mari est fantastique.

Tout le monde applaudit et poussa des vivats. Puis Maître Renard se leva.

— Ce repas délicieux… commença-t-il.

Dans le silence qui suivit, il eut une formidable éructation.

Il y eut des rires et d'autres applaudissements.

— Ce délicieux repas, mes amis, continua-t-il, nous est gracieusement offert par Boggis, Bunce et Bean. (Autres vivats et autres applaudissements.) Et je souhaite que vous en ayez profité tout autant que moi.

Il eut encore une colossale éructation.

– C'est meilleur dehors que dedans, dit Blaireau.

– Merci, dit Maître Renard avec un large sourire. Mais maintenant, mes amis, soyons

sérieux. Songeons à demain, à après-demain et aux jours suivants. Si nous sortons, on nous tuera. Vrai ?

– Vrai ! crièrent-ils.

– On nous tuera avant que nous ayons fait un mètre, dit Blaireau.

– Ex-ac-te-ment, dit Maître Renard. Mais de toute façon, qui désire sortir ? Nous détestons l'extérieur. L'extérieur est plein d'ennemis. Nous sortons seulement parce que nous y sommes obligés, pour chercher des vivres pour nos familles. Mais à présent, mes amis, nous allons nous organiser différemment. Nous sommes à l'abri dans un tunnel qui mène aux trois meilleurs magasins du monde !

– Oui, c'est vrai, dit Blaireau, je les ai vus.

– Et vous savez ce que ça signifie ? dit Maître Renard. Ça signifie qu'aucun de nous n'aura plus besoin de sortir !

Il y eut de l'agitation et des murmures dans l'assistance.

– Donc, je vous invite tous, continua Maître Renard, à rester ici, avec moi, pour toujours.

– Pour toujours ! crièrent-ils. Mon Dieu ! C'est merveilleux !

Et Lapin dit à Dame Lapin :

– Ma chérie, pense un peu ! On ne nous tirera plus jamais dessus, de toute notre vie !

– Nous construirons un petit village souterrain, dit Maître Renard, avec des rues et des maisons de chaque côté, des maisons individuelles pour les familles Blaireau, Taupe, Lapin, Belette et Renard. Et tous les jours, j'irai faire des courses pour vous tous. Et tous les jours, nous mangerons comme des rois.

Les vivats qui suivirent ce discours durèrent plusieurs minutes.

Et ils attendent toujours…

Boggis, Bunce et Bean étaient assis devant le terrier du renard, à côté de leurs tentes, leurs fusils sur les genoux. Il commençait à pleuvoir. L'eau coulait goutte à goutte dans leurs cous et dans leurs souliers.

— Il ne restera plus très longtemps, maintenant, dit Boggis.

— La bête doit être affamée, dit Bunce.

— C'est vrai, dit Bean. Il va sûrement

sortir d'un moment à l'autre. Tenez bien vos fusils en main.

Assis près du trou, ils attendaient que le renard sorte.

Et, autant que je sache, ils attendent toujours…

1. Les trois fermiers, *5*

2. Maître Renard, *11*

3. La fusillade, *15*

4. Les terribles pelles, *22*

5. Les terribles pelleteuses, *29*

6. La course, *35*

7. On ne le laissera pas filer ! *42*

8. La grande famine des renards, *45*

9. Maître Renard a un plan, *50*

10. Le poulailler n°1 de Boggis, *55*

11. Une surprise pour Dame Renard, *63*

12. Blaireau, *66*

13. L'entrepôt géant de Bunce, *73*

14. Blaireau a des scrupules, *84*

15. La cave secrète de Bean, *89*

16. La femme, *98*

17. Le grand festin, *105*

18. Et ils attendent toujours…, *116*

Roald Dahl est né au pays de Galles, en 1916, de parents fortunés d'origine norvégienne. Avide d'aventures, il part pour l'Afrique à dix-huit ans et travaille dans une compagnie pétrolière, avant de devenir pilote à la Royal Air Force pendant la Seconde Guerre mondiale. Il échappe de peu à la mort – son appareil s'étant écrasé au sol – et se met à écrire… mais c'est seulement en 1961, après avoir publié pendant quinze ans des livres pour les adultes, qu'il devient écrivain pour la jeunesse avec *James et la Grosse Pêche*. D'autres chefs-d'œuvre ne tarderont pas à suivre parmi lesquels *Charlie et la chocolaterie*, *Le Bon Gros Géant*, *Fantastique Maître Renard*… Ses livres ont été traduits dans plus de trente-cinq langues. Depuis sa mort, en novembre 1990, Felicity, sa femme, gère la fondation Roald Dahl, qui se consacre à des causes chères à l'écrivain : la dyslexie, la neurologie, l'illettrisme et l'encouragement à la lecture, d'ailleurs l'un des thèmes essentiels de *Matilda*, son dernier roman, paru en 1988.

Né en 1932, en Angleterre, **Quentin Blake** publie son premier dessin à l'âge de seize ans dans un magazine satirique. Il illustre ensuite de nombreux ouvrages pour enfants, notamment ceux de Roald Dahl : *Le Bon Gros Géant*, *Matilda* et *L'Énorme Crocodile*. Quentin Blake écrit et dessine aussi ses propres histoires. Son œuvre comporte plus de deux cents titres d'une variété extraordinaire. Ancien directeur du Royal College of Art, il est devenu en 1999 le premier ambassadeur-lauréat du livre pour enfants, une fonction destinée à promouvoir le livre de jeunesse. Quentin Blake partage sa vie entre Londres et l'ouest de la France.

CONTES CLASSIQUES ET MODERNES

La petite fille aux allumettes, 183

La petite sirène, 464

Le rossignol de l'empereur de Chine, 179

de Hans Christian Andersen
illustrés par Georges Lemoine

Le cavalier Tempête, 420
de Kevin Crossley-Holland
illustré par Alan Marks

La chèvre de M. Seguin, 455
d'Alphonse Daudet
illustré par François Place

Nou l'impatient, 461
d'Eglal Errera
illustré par Aurélia Fronty

Prune et Fleur de Houx, 220
de Rumer Godden
illustré par Barbara Cooney

Les 9 vies d'Aristote, 444
de Dick King-Smith
illustré par Bob Graham

Histoires comme ça, 316
de Rudyard Kipling
illustré par Etienne Delessert

Les chats volants, 454
d'Ursula K. Le Guin
illustré par S. D. Schindler

La Belle et la Bête, 188
de Mme Leprince de Beaumont
illustré par Willi Glasauer

Contes d'un royaume perdu, 462
d'Erik L'Homme
illustré par François Place

Mystère, 217
de Marie-Aude Murail
illustré par Serge Bloch

Contes pour enfants pas sages, 181
de Jacques Prévert
illustré par Elsa Henriquez

La magie de Lila, 385
de Philip Pullman
illustré par S. Saelig Gallagher

Une musique magique, 446
de Lara Ríos
illustré par Vicky Ramos

Du commerce de la souris, 195
d'Alain Serres
illustré par Claude Lapointe

Les contes du Chat perché

L'âne et le cheval, 300

Les boîtes de peinture, 199

Le canard et la panthère, 128

Le cerf et le chien, 308

Le chien, 201

L'éléphant, 307

Le loup, 283

Le mauvais jars, 236

Le paon, 263

La patte du chat, 200

Le problème, 198

Les vaches, 215
de Marcel Aymé
illustrés par Roland
et Claudine Sabatier

AVENTURE

Le meilleur des livres, 421
d'Andrew Clements
illustré par Brian Selznick

**Panique
à la bibliothèque,** 445
de Eoin Colfer
illustré par Tony Ross

Le poisson de la chambre 11,
452
de Heather Dyer
illustré par Peter Bailey

Le poney dans la neige, 175
de Jane Gardam
illustré par William Geldart

Faim de loup, 453
de Yves Hughes
illustré par Joëlle Jolivet

Longue vie aux dodos, 230
de Dick King-Smith
illustré par David Parkins

Une marmite pleine d'or, 279
de Dick King-Smith
illustré par William Geldart

**L'enlèvement de
la bibliothécaire,** 189
de Margaret Mahy
illustré par Quentin Blake

Le lion blanc, 356
de Michael Morpurgo
illustré par Jean-Michel Payet

Le secret de grand-père, 414

Toro ! Toro ! 422
de Michael Morpurgo
illustrés par Michael Foreman

Jour de Chance, 457
de Gillian Rubinstein
illustré par Rozier-Gaudriault

Sadi et le général, 466
de Katia Sabet
illustré par Clément Devaux

Les poules, 294
de John Yeoman
illustré par Quentin Blake

FAMILLE,
VIE QUOTIDIENNE

L'invité des CE2, 429
de Jean-Philippe Arrou-Vignod
illustré par Estelle Meyrand

Clément aplati, 196
de Jeff Brown
illustré par Tony Ross

Le goût des mûres, 310
de Doris Buchanan Smith
illustré par Christophe Blain

Je t'écris, j'écris, 315
de Geva Caban
illustré par Zina Modiano

Little Lou, 309
de Jean Claverie

J'aime pas la poésie ! 438
de Sharon Creech
illustré par Marie Flusin

Danger gros mots, 319
de Claude Gutman
illustré par Pef

Sarah la pas belle, 223

**Sarah la pas belle
se marie,** 354

Le journal de Caleb, 441
de Patricia MacLachlan
illustrés par Quentin Blake

Victoire est amoureuse, 449
de Catherine Missonnier
illustré par A.-I. Le Touzé

Oukélé la télé ? 190
de Susie Morgenstern
illustré par Pef

Nous deux, rue Bleue, 427
de Gérard Pussey
illustré par Philippe Dumas

Le petit humain, 193
d'Alain Serres
illustré par Anne Tonnac

Petit Bloï, 432
de Vincent de Swarte
illustré par Christine Davenier

**La chouette qui avait peur
du noir,** 288
de Jill Tomlinson
illustré par Susan Hellard

Lulu Bouche-Cousue, 425

Ma chère momie, 419

Soirée pyjama, 465

Le site des soucis, 440
de Jacqueline Wilson
illustrés par Nick Sharratt

LES GRANDS AUTEURS
POUR ADULTES ÉCRIVENT
POUR LES ENFANTS

BLAISE CENDRARS

**Petits contes nègres pour
les enfants des Blancs,** 224
illustré par Jacqueline Duhême

ROALD DAHL

Un amour de tortue, 232

**Un conte peut en cacher
un autre,** 313

**Fantastique maître
Renard,** 174

**La girafe, le pélican
et moi,** 278
illustrés par Quentin Blake

Le doigt magique, 185
illustré par Henri Galeron

Les Minuscules, 289
illustré par Patrick Benson

JEAN GIONO

**L'homme qui plantait
des arbres,** 180
illustré par Willi Glasauer

J.M.G. LE CLÉZIO

Balaabilou, 404
illustré par Georges Lemoine

**Voyage au pays
des arbres,** 187
illustré par Henri Galeron

MICHEL TOURNIER

Barbedor, 172
illustré par Georges Lemoine

**Pierrot ou les secrets
de la nuit,** 205
illustré par Danièle Bour

MARGUERITE YOURCENAR

**Comment Wang-Fô fut
sauvé,** 178
illustré par Georges Lemoine

RETROUVEZ VOS HÉROS

Avril

Avril et la Poison, 413

Avril est en danger, 430

Avril prend la mer, 434
d'Henrietta Branford
illustrés par Lesley Harker

William

**L'anniversaire
de William,** 398

**William et la maison
hantée,** 409

**William et le trésor
caché,** 400

William change de tête, 418
de Richmal Crompton
illustrés par Tony Ross

*Les premières aventures
de Lili Graffiti*

**Lili Graffiti fait
du camping,** 447

**7 bougies pour
Lili Graffiti,** 448

Lili Graffiti fait du manège,
459

Lili Graffiti va à l'école, 463

Les aventures de Lili Graffiti

Lili Graffiti, 341

**Les vacances
de Lili Graffiti,** 342

**La rentrée
de Lili Graffiti,** 362

Courage, Lili Graffiti ! 366

**Un nouvel ami
pour Lili Graffiti,** 380

Lili Graffiti voit rouge, 390

**Rien ne va plus
pour Lili Graffiti,** 395

Moi, Lili Graffiti, 411

**Lili Graffiti est verte de
jalousie,** 458
de Paula Danziger
illustrés par Tony Ross

Mademoiselle Charlotte

La nouvelle maîtresse, 439
**La mystérieuse
bibliothécaire,** 450

Une bien curieuse factrice,
456
de Dominique Demers
illustrés par Tony Ross

Les Massacreurs de Dragons

Le nouvel élève, 405

**La vengeance
du dragon,** 407

La caverne maudite, 410

**Une princesse
pour Wiglaf,** 417

**Le chevalier
Plus-que-Parfait,** 442

**Il faut sauver messire
Lancelot !** 443

Le tournoi des Supercracks,
460
de Kate McMullan
illustrés par Bill Basso

Amélia
Le cahier d'Amélia, 423
L'école d'Amélia, 426
Docteur Amélia, 435
de Marissa Moss

Amandine Malabul
**Amandine Malabul
sorcière maladroite,** 208
**Amandine Malabul
la sorcière ensorcelée,** 305
**Amandine Malabul
la sorcière a des ennuis,** 228
**Amandine Malabul
la sorcière a peur de l'eau,**
318
de Jill Murphy

La famille Motordu
**Les belles lisses poires
de France,** 216
**Dictionnaire des mots
tordus,** 192
L'ivre de français, 246
Leçons de géoravie, 291
Le livre de nattes, 240
**Motordu a pâle
au ventre,** 330

Motordu as à la télé, 336
**Motordu au pas,
au trot, au gras dos,** 333
**Motordu champignon
olympique,** 334
**Motordu est le frère
Noël,** 335
**Motordu et le fantôme
du chapeau,** 332
**Motordu et les petits
hommes vers,** 329
**Motordu et son père
Hoquet,** 337
**Motordu sur la Botte
d'Azur,** 331
Silence naturel, 292
de Pef

*Harry-le-Chat, Tucker-la
Souris et Chester-le-Grillon*
**Harry-le-Chat et Tucker-la-
Souris,** 436
Un grillon dans le métro, 433
de George Selden,
illustrés par Garth Williams

Eloïse
Eloïse, 357
Eloïse à Noël, 408
Eloïse à Paris, 378
de Kay Thompson
illustrés par Hilary Knight

■ ■ ■ DANS LA COLLECTION FOLIO CADET ■

Les Chevaliers en herbe

Le bouffon de chiffon, 424

**Le monstre
aux yeux d'or,** 428

Le chevalier fantôme, 437

Dangereux complots, 451
d'Arthur Ténor
illustrés par D. et C. Millet

BIOGRAPHIES
DE PERSONNAGES CÉLÈBRES

**Louis Braille, l'enfant
de la nuit,** 225
de Margaret Davidson
illustré par André Dahan

**La métamorphose d'Helen
Keller,** 383
de Margaret Davidson
illustré par Georges Lemoine

ISBN : 978-2-07-055268-9
N° d'édition : 160649
Loi n° 49-956 du 16 juillet 1949
sur les publications destinées à la jeunesse
Premier dépôt légal : octobre 1989
Dépôt légal : avril 2008
Imprimé en Italie par Zanardi Group